D0989041

Malika Ferdjoukh

Aggie change de vie

Neuf

l'école des loisirs

11, rue de Sèvres, Paris 6e

© 2009, l'école des loisirs, Paris,
Loi n° 49.956 du 16 juillet 1949 sur les publications
destinées à la jeunesse : septembre 2009
Dépôt légal : février 2010
Imprimé en France par CPI Hérissey à Évreux (Eure)
N° d'imprimeur : 113251

CPI

ISBN 978-2-211-09730-7

1

À droite, il y avait les éclats de voix qui venaient de l'auberge.

À gauche, par terre, les six points de lumière.

Six petits diamants dans ce soir plus noir qu'un cerveau d'assassin. Les ténèbres avaient empoigné la ville depuis une bonne heure déjà et, dans la rue aussi rectiligne qu'une boutonnière de sergent, les six points brillaient par deux sur le sol. Ils clignotaient même, parfois…

Soudain, pff… Plus rien. Éteints. Dans la nuit, il ne resta que les brouhahas de l'auberge par sa porte close. La disparition subite des six clous lumineux coïncida avec un choc sourd, le *pon won won won* d'un couvercle d'égout qui s'était rabattu.

Sous le couvercle, dans la bouche d'égout : deux humains et un chien.

Le chien se nommait Mister Bones, et il ne pipait pas. Mister Bones était une brave bonne grosse bête, mais très peu de gens le savaient tant il faisait peur avec ses noires bajoues baveuses, ses crocs comme des crayons taillés à la lame, ses petits yeux ardents.

Les humains, dis-je, étaient deux. Un petit et un grand.

Le petit était plus ou moins blond, plus ou moins en équilibre sur les pitons du mur d'égout. Mais, petit, ah, il l'était vraiment. Quand ça l'arrangeait, il pouvait faire croire sans problème qu'il avait huit ans. Mais il en avait douze et demi. Tout Boston, c'est-à-dire les bas quartiers, ceux qui alignent leurs bicoques sales et déclouées le long des docks, l'appelait Orin.

L'autre humain, le grand, était en fait une grande. Très grande même. Une espèce d'échalas échevelé, piquante de partout, sans ronds ni courbes, sans fesses ni seins malgré ses quatorze ans. C'était Aggie. Aggie Barrie.

Tous les trois, Mister Bones, Orin, Aggie, étaient planqués dans la bouche d'égout.

Ils attendaient. Le couvercle soulevé d'un pouce au-dessus de la tête.

Ils épiaient l'obscurité. Six points lumineux braqués sur l'auberge. Les petits diamants c'était eux : leurs yeux. Le couvercle était si lourd qu'il retombait parfois, dans ce grand *pon won won won*, les escamotant d'un coup tous les trois.

— J'en peux plus ! souffla Orin. 'Tain de couvercle ! J'ai les doigts en nouilles.

— T'crois que j'en ai pas marre d'attendre, moi aussi ? Si, en plus, l'allumeur de becs de gaz rapplique, c'est cuit, on aura attendu tout ça pour rien.

Voilà ce qu'ils craignaient. Qu'aucun bourgeois ne sorte de cette satanée auberge d'ici que la rue soit éclairée. Or, une fois les réverbères allumés, fini l'obscurité complice ! Fini leur projet pour ce soir ! Ils rentreraient bredouilles. Et Aggie n'osait pas penser à Mistress Hume et aux coups qui pleuvraient.

Personne de personne qui sortira de làn'dans, nom d'un chien? songeait-elle. Pardon Mister Bones, j'ai dit nom d'un chien juste parce que j'ai vraiment froid.

On était en avril, pourtant il gelait depuis deux nuits. Dans l'auberge il faisait chaud, il y avait du vin, et aussi le sourire de May la serveuse. Orin se disait que s'il s'était trouvé à l'intérieur, pour rien au monde il n'en serait ressorti.

Mais, soudain… La porte de l'auberge s'ouvrit. D'un coup! En grand!

Un trapèze de lumière rose tomba sur le trottoir, captura un souriceau qui broutait paisiblement une épluchure de courge et qui, n'ayant pas prévu le coup, détala illico.

— Pas trop tôt, grommela Orin.

Ses bras lui semblaient en bois, ses doigts en verre. Difficile de remuer et de redevenir vivant quand l'ankylose et le froid de la nuit ont fait de vous un genre de Pinocchio.

Ils poussèrent le couvercle en silence, la bouche d'égout partiellement béante; juste de quoi se faufiler dehors, sauter sur le trottoir,

avant de s'abriter derrière une rangée de poubelles.

— Hé, chuchota Aggie avec un coup de
coude à Orin. On l'aura pas attendu pour rien.
L'a l'air au poil, c'ui-là.

Celui-là, c'était l'homme qui venait d'appa-
raître sur le seuil de l'auberge.

Une apparence de gentleman. Au poil, en
effet : épais manteau de laine fourré, chapeau
melon… Peut-être un étranger ? Un Anglais ?
Il sifflotait, sa canne à pommeau de cuir calée
sous l'aisselle. Il rajusta son chapeau, regarda
autour de lui, l'air de se choisir un chemin.
Mais il faisait noir, si noir dans cette rue sans
éclairage…

— Vise là-bas ! chuchota Orin en retour-
nant le coup de coude à Aggie.

À l'autre bout de la rue, elle vit la silhouette
à l'échelle, la lanterne qui balançait… L'allumeur de becs de gaz.

— Grouille ! dit-elle. Faut lui faire son affaire,
à ce sbire, avant que la rue se mette à ressem-
bler à Vineyard Street un 4 juillet !

Ils attendirent que la porte de l'auberge fût claquée, et leur proie éloignée de quelques pas, seule au milieu de la chaussée.

Ensuite, ce serait la routine, le numéro bien réglé qu'ils connaissaient par cœur. Voici comment, généralement, cela se déroulait.

Ayant repéré un gentleman choisi pour ses signes extérieurs de fortune, dans une rue choisie pour son absence d'éclairage, Aggie lançait Mister Bones sur le pantalon d'Orin. Orin qui se mettait à brailler à l'aide. Le gentleman accourait pour délivrer ce pauvre gosse sans défense (huit ans à peine, et déjà sur le point d'être déchiqueté !). Mister Bones était aux anges ! *Grrr. Grrr.* C'était son jeu préféré ! Il s'amusait comme un petit fou. Aggie apparaissait alors, l'air de passer là par hasard… et volait au secours de tout le monde. On tirait, on poussait, on criait…

Quand Mister Bones lâchait, enfin, sur un discret claquement de doigts de sa maîtresse, les enfants repartaient après moult remerciements, et disparaissaient… Ensemble. Avec le chien.

Le gentleman se posait alors des questions…

Il fronçait les sourcils, tâtait son manteau, sa redingote ou son pardessus. Et constatait ce qu'il redoutait : ses poches étaient vides !

Les choses, donc, se passaient toujours ainsi. Mais ce soir-là…

Orin se hissa seul jusqu'au bonhomme, vif, précis, silencieux, tel le poisson pilote au flanc du grand requin. Ce qu'ils ignoraient, Aggie et lui, c'est que le gentleman était loin d'être un gentleman, mais qu'à sa manière il était bel et bien un requin.

Mister Bones déboula en aboyant, happa le pantalon d'Orin en grondant d'un air féroce. La bave fumante, les oreilles en arrière, canines étincelantes, Mister Bones était l'image de Satan lui-même. Décidément, il adorait ce jeu ! Il grognait joyeusement (mais, hormis Aggie ou Orin, personne n'aurait pu deviner que c'était «joyeusement») en tirant de toutes ses forces sur l'ourlet.

L'homme avait fait volte-face.

– M'sieur ! Au secours ! brailla Orin selon

le scénario habituel. C'te sale bête, elle veut m'découper, elle veut m'tuer !

Contre toute attente, l'homme ne fit pas un geste.

Il se contentait, immobile, de regarder Mister Bones s'acharner, *grrr grrr*, sur le pantalon d'Orin.

Mince, qu'est-ce qu'il fabrique ? Pourquoi qu'ce type reste planté comme un os ? songeait le garçon. Et s'il pensait à un os, c'est probablement que, sous la mâchoire de Mister Bones, il avait un peu la sensation d'en être un lui-même.

Mister Bones était aux anges. Le jeu durait plus longtemps que d'habitude !

Bien not'veine, pensa Aggie, accroupie derrière sa ligne de poubelles. Un poltron. Un couard. L'a fallu qu'on tombe sur un bourgeois qu'a la pétoche.

Tant pis. Fallait continuer. Faire comme d'habitude. Elle courut hors de sa cachette, l'air d'arriver du coin.

— Stop ! Ici ! hurla-t-elle. Allez ! Couché !

Orin lui jeta un regard soulagé. Il aimait bien Mister Bones mais commençait à s'interroger sur les instincts d'une bête qui n'était pas la sienne et qui obéissait uniquement à Aggie.

L'homme se tourna vers cette grande tige rousse à deux jambes qui avait jailli de l'ombre en braillant. Un sixième sens l'alerta.

Tout ce petit monde apparu trop subitement...

Ce n'était que des enfants, bien sûr. Néanmoins...

Aggie arriva devant lui dans la vague lueur venue des fenêtres de l'auberge. L'homme tressaillit.

Elle remarqua ce sursaut. Elle nota aussi avec quel intérêt, soudain, il la dévisageait. Mais presque aussitôt elle n'y pensa plus, préoccupée par deux questions. Un : comment alléger les poches de ce pèlerin qui ne réagissait pas comme prévu ? Deux : comment en finir avant l'arrivée de l'allumeur qui se trouvait à une dizaine de réverbères de là ?

Orin joua leur va-tout. Il se jeta dans les

jambes du monsieur, fit mine de se rattraper au manteau, la mâchoire de Mister Bones toujours agrippée à son ourlet. Aggie comprit.

Elle plongea à son tour dans la mêlée. L'homme se mit à tournoyer sur lui-même, à distribuer des taloches, des claques, des coups de pied au hasard. Son ample pardessus déployé, les pans tourbillonnants, il ressemblait à ces manèges de foire avec leurs balancelles suspendues.

Aggie leva la tête. Orin avait poussé un cri. Un cri de vraie douleur cette fois. L'homme était en train de lui tordre le poignet pour lui faire lâcher la montre subtilisée dans sa poche. Orin lâcha la montre. Aggie prit peur.

– Laisse! cria-t-elle. Dépêche! On lève le camp!

Ils bondirent vers le côté le plus sombre de la rue. L'homme s'élança à leurs trousses. Les enfants et le chien étaient vifs et agiles, mais l'homme était grand, ses jambes très longues, et il paraissait n'avoir aucune envie de les laisser fuir.

Qu'est-ce que ce serait si on avait vraiment volé sa montre ! songea Aggie.

Et s'ils n'arrivaient pas à se débarrasser de lui ?

Ils entendaient son souffle derrière eux, dans les rues toutes noires. C'était étrange, cette obstination. Qu'avait-il en tête, cet individu ?

Elle avait peur. Était-ce un policier ?

Ils firent trois fois le tour du même pâté de maisons. Ils ne voulaient pas s'éloigner pour s'engouffrer, dès que possible, à l'abri dans la bouche d'égout.

Sans parler, pour économiser sa respiration, Aggie désigna les poubelles qui se profilaient pour la quatrième fois dans leur champ de vision. L'allumeur de becs de gaz juché au sommet de son échelle, en train d'enflammer la mèche, leur tournait le dos et les cachait au regard de leur poursuivant.

Orin opina. C'était le moment. Mister Bones comprit. Il sauta dans les bras d'Aggie et tous disparurent d'un même bond par l'égout entrouvert.

On referma aussi rapidement qu'on put.

Ce qui n'était pas donné vu leur épuisement, leur gabarit de gosses malnutris, et leur position perchée, chacun sur son piton. Vu aussi Mister Bones qui pesait son poids mais qu'Aggie ne pouvait pas lâcher car, dessous, une distance de vingt pieds les séparait du fond.

Au-dessus, en revanche, la rue était toute proche. À travers le couvercle ils entendirent le pas de course de l'homme… qui s'arrêta tout près. Les poubelles dissimulaient la plaque d'égout, mais l'homme n'était pas idiot. En y regardant mieux, il pouvait deviner. Ils amorçaient la descente des pitons, l'un au-dessus de l'autre, lorsqu'ils entendirent sa voix qui interrogeait :

– Vous n'auriez pas vu deux gamins et un chien ? Qui couraient… ?

Une autre, plus lointaine, celle du vieil allumeur de becs de gaz, répondit :

– Ils sont passés là…

Aggie et Orin restèrent pétrifiés contre leur mur.

L'allumeur continua :

— Voyez ce jardin, là-bas, après la grille? Ils doivent s'y cacher.

Brave allumeur! S'il les avait aperçus depuis son échelle, il ne les avait pas dénoncés. Réflexe de solidarité entre gens de la rue.

Ils arrivèrent au bas du puits, dans une rigole où coulait une espèce de potage vert. Ils marchèrent au plus près de la paroi, où le potage était moins vert, moins profond.

Les rats, qui réfléchissent aussi, et qui essaient de vivre confortablement, tout comme nous, faisaient la même chose. Mais eux réussissaient un exploit impossible aux humains: ils couraient en bandes sur les murs.

Aggie avait jeté Mister Bones en travers de ses épaules de façon à libérer ses mains, et cheminait devant Orin avec la bougie qui les avait déjà éclairés à l'aller. Ils connaissaient les lieux pour les pratiquer souvent.

Ça puait, il faisait moite. L'odeur, ils l'oubliaient, ils étaient habitués. La chaleur, ils étaient contents de s'y réfugier après la longue attente dans le froid.

— Quand je pense à tout c'temps qu'on a perdu! gémit Aggie. Si j'le revois, ce pèlerin, j'lui fais avaler sa canne et son melon.

— T'as vu comment il t'a regardée? Peut-être bien qu'tu lui plaisais!

— C'te vieux décati? Tu veux rire!

Elle cracha dans la soupe verte.

— Tu veux rire! J'crois pas, non. Plutôt comme s'il m'avait déjà rencontrée què'qu'part.

— Ah? Et où c'est que tu l'aurais déjà rencontré què'qu' part?

— De ma vie, jamais vu ce sbire. Et j'ai pas envie de le r'voir!

À un carrefour de galeries, ils prirent à droite sans hésiter et marchèrent un temps. Chaque fois qu'elle se trouvait dans l'égout, Aggie se faisait l'effet d'une bouchée mal mâchée dans un boyau de bestiau. L'odeur renforçait l'impression.

Le niveau du potage vert monta, signe qu'on approchait du fleuve.

Ils parvinrent à un autre puits, où les mêmes pitons étaient plantés dans la paroi. En silence ils les gravirent, soulevèrent le couvercle, et vérifièrent les alentours. Ça donnait dans une impasse crasseuse et vide.

2

À peu près vide. Car s'il n'y avait aucun bipède, s'y trouvait Moyzisch, le diabolique Moyzisch, l'ennemi juré de Mister Bones.

Mister Bones grogna. Sa jeune maîtresse lui emprisonna la gueule dans sa main.

— Ah tais-toi! chuchota-t-elle. Pas l'moment de faire du grabuge.

Ils attendirent donc que le chat borgne se soit éclipsé de la ruelle pour extirper leurs corps en entier hors de la bouche d'égout. Ils se séparèrent en soupirant.

Mauvaise soirée. Zéro butin.

Orin avait une mère qui élevait seule ses trois enfants. En femme honnête, elle ignorait tout de ses larcins. Orin lui racontait que l'argent qu'il gagnait, c'était parce qu'il livrait du charbon pour un bistrotier du port. Ce qui était exact… mais seulement de temps en temps.

Quant à Aggie, retrouver l'hôtel de Mistress Hume et de son affreux mari était loin d'être une perspective attrayante.

Le chien trottinant à son côté, elle avançait lentement, avec le secret espoir qu'un farfadet la détournerait de son itinéraire. Ou qu'elle tomberait raide morte. Enfin, pas complètement morte quand même. Juste de quoi voir ce qui se dirait d'elle.

Devant le perron de l'hôtel, elle s'arrêta : Moyzisch le chat était assis au sommet des marches.

Mister Bones gronda à nouveau. Aggie le retint de justesse, à l'instant où il s'élançait. Moyzisch les contempla, impassible, dédaigneux, du haut des marches et de son œil unique. Mister Bones serré contre son mollet, elle fit un moulinet pour chasser le chat. Il finit par s'éloigner, mais avec lenteur, en roulant ses épaules fauves. Il disparut dans un soupirail non sans un dernier regard de son seul œil.

Après quoi, Aggie s'arma de courage et entra chez les Hume.

*
* *

Pour commencer, elle attacha Mister Bones dans l'arrière-cour. Le chien se mit à gémir. Il détestait la corde. Aggie lui chuchota de se taire.

— Tu veux que Mistress Hume vienne te battre ? C'te teigne, elle demand'rait que ça.

Il se coucha, la tête entre les pattes, avec un soupir, pas tout à fait résigné.

— J'reviens. Avec une belle tranche de quelque chose. Tu peux attendre ?

Elle entra dans la maison par la cuisine. Dodie, la servante, y découpait les têtes de cinq poissons alignés sur une planche.

— Hé ! s'écria-t-elle voyant Aggie. La patronne est de mauvais poil, ça change guère de d'habitude tu me diras. Elle voulait savoir si t'étais rentrée…

Après un regard alentour, Dodie s'essuya les mains et, tout en parlant, sortit un pancake de sa poche et le donna à Aggie qui l'escamota vite fait dans la sienne.

— … et, poursuivit-elle, comme tu l'étais pas, elle a gueulé, la patronne.

Aggie avisa un paquet roulé dans du papier gris, sur le garde-manger. La forme désignait le contenu.

— Un jambon ?

Son ventre émit un petit *creuk* affamé.

— Touche z'y pas, malheureuse. C'est l'père Hume qu'a ramené ça d'une ferme. Pour nos pensionnaires. Il a l'intention de leur faire payer 25 cents la tranche. P't'êt'e même 30 ou 35. Il va récupérer six fois sa mise. Le sagouin.

Profitant que Dodie allait chercher de la farine dans le cellier, Aggie s'empara d'un couteau d'office sur le billot à viande. Elle ouvrit le paquet du jambon, coupa l'équivalent de deux grosses bouchées, au centre, autour de l'os, rabattit la couenne pour cacher l'entaille et referma le papier. Elle glissa vivement les deux morceaux dans sa poche et reposa le couteau au moment où Dodie réapparaissait.

La voix de Mistress Hume, aigre comme un lait tourné, jaillit alors de l'escalier de la pension et leur transperça les oreilles :

– Dodiiiiie ! Dodiiiiie ! Répondez donc quand on vous appelle !

– Madame, j'arrive, lui répondit Dodie. Je cours !

Elle prit tout son temps. Elle se rinça soigneusement les mains, les essuya aussi bien, arrangea son tablier, puis, enfin, monta rejoindre sa patronne après un clin d'œil rieur à Aggie.

Aggie sortit par l'arrière et retrouva Mister Bones dans la cour. Elle s'accroupit, lui tendit un morceau de jambon.

– Tiens, Mister Bones. Ç'ui-ci, il est gros comme le nez au père Hume. Et d'la même couleur, aussi.

Le chien happa et engloutit le tout en un éclair. Aggie soupira. Mister Bones aurait pu avaler dix morceaux aussi vite ! Elle sortit le second, en grignota un demi-centimètre. C'était un jambon vraiment délicieux.

— Tiens, fit-elle en lui montrant ce qui restait. Imagine que celui-ci, c'est son oreille, au père Hume…

Quelque chose d'horrible surgit tout à coup des ténèbres, et la renversa. Aveuglée, à moitié assommée, Aggie ne put reprendre sa respiration qu'après un long temps. Son nez et sa joue lui faisaient très mal.

— Tu parles de moi? questionna Gedeon Hume, au-dessus de sa tête.

Il avait la voix grasse, comme si sa langue était toujours pleine de salive.

— Et tu voles, en plus, continua-t-il. D'où qu'il sort ce jambon?

Il voulut l'arracher d'entre les dents de Mister Bones. Ce qui ne fut pas une bonne idée. La bouchée engloutie, le chien attrapa Hume au gras du bras. L'homme poussa une exclamation, voulut se dégager. Les mâchoires tenaient bon.

— Retiens cet animal!

Aggie n'obéit pas tout de suite. Le spectacle était trop plaisant. Écumant de colère, Hume se traîna jusqu'à la réserve de bois, Mister Bones pendu à sa manche et qui ne voulait pas lâcher prise. De sa main libre, il empoigna une lourde bûche. Le chien retroussa les babines avec des grognements. Hume leva la bûche et de toutes ses forces, qui étaient grandes, il frappa le chien en pleine gueule.

L'animal poussa un hurlement et tomba sur le côté, la tête brisée net.

Aggie cria. D'un bond, le cœur plein de rage et de fureur, elle ramassa la bûche à deux mains, et la lança en direction de Hume.

Il s'effondra en se tenant le crâne. Malgré la nuit, Aggie vit le liquide brillant qui jaillissait de sa figure, et coulait entre ses doigts.

Vite ! Elle devait fuir. Dès qu'il se remettrait debout, Mr Hume la tuerait.

Elle souleva Mister Bones qui ne bougeait plus. Il était lourd, très lourd. Elle réussit à courir cependant, le tenant serré contre elle, ses pattes inertes lui battant les cuisses, droit vers le fleuve.

3

Elle l'enterra à l'aube, sans pleurer, sous trois pierres disposées en rond, sur une colline du St. Regis Park, après une nuit passée à lui parler, à le regarder étendu sur le gazon.

4

Elle erra une bonne partie du jour, l'esprit aussi vide que son estomac depuis la veille au matin. Au milieu de l'après-midi, en retrouvant au fond de sa poche le pancake de Dodie, une violente faim la saisit, elle l'engloutit en même temps qu'une rage irrépressible lui montait.

Elle se vengerait de ces abominables Hume ! Non seulement elle ne retournerait jamais vivre chez eux, mais elle irait, avant ce soir, les délester de ce maudit jambon qu'ils voulaient revendre un quart de dollar la tranche ! Elle en prendrait un bout, non, deux, ou bien trois ! et donnerait le reste à une de ces familles qui crevaient de faim, en bas, au bord du fleuve.

Elle contourna le parc à l'ouest, en direction

de la pension Hume. En chemin, elle tomba sur Orin.

— Où c'est que t'étais? dit-il en soulevant un pan de sa vareuse.

Avec un large sourire, il montrait le portefeuille qu'il venait de «rencontrer» au fond des poches d'un jeune gandin de la haute.

— Un incendie au coin de Murray et de la 17e. T'aurais vu ce monde! Y avait qu'à se pencher pour cueillir. Comme aux champignons. Eh, mais… t'en fais une tête!

Elle lui raconta, les yeux toujours secs, l'assassinat de Mister Bones par l'infâme Gedeon Hume. Orin l'écouta, horrifié. Elle le vit essuyer une larme.

— Tu t'souviens, dit-il, quand elle se tut. Tu t'souviens de c'pauv'Mister Bones, quand tu l'as trouvé, y a un an… non, plus que ça… On était avant la Saint-Patrick, tu disais qu'il était trop p'tit pour nous défendre… Tu t'souviens… Contre la bande de Traitor's Harbour, comme on s'est bien battus, lui et nous… Qu'y a même perdu un pouce de queue…

Aggie fit oui. Elle se sentait un peu réconfortée qu'Orin partageât son chagrin. Mais la rage ne l'avait pas quittée.

— Viens, dit-elle. On va le venger.

Ils se faufilèrent dans l'arrière-cour, prenant garde de ne pas être repérés, à l'ombre du poulailler. Par la fenêtre de la cuisine, ils virent Dodie penchée sur un *carrot cake*. Aggie aimait beaucoup le *carrot cake*, mais n'avait jamais le droit d'en manger. Mistress Hume en distribuait généralement de fines parts à ses pensionnaires, puis envoyait ce qui restait, c'est-à-dire un bon tiers, droit dans son estomac. Heureusement, quand c'était possible, la brave Dodie prenait soin d'en prélever une tranche pour Aggie.

Devant ses fourneaux, la servante s'affairait au repas du soir. Un instant, ses torchons au bras, elle disparut par la porte de la salle à manger. La cuisine fut vide !

Aggie fit un signe à Orin, coulissa le châssis de la fenêtre, enjamba le rebord et entra. Elle mit le cap droit sur le jambon, toujours roulé dans son papier gris, et le fourra sous son manteau. Elle ressortit par le même chemin et se coula vers le fond de la cour où l'attendait Orin.

Une main s'abattit subitement sur son épaule.

Elle faillit en mourir de frayeur sur place! Serrant son butin sous sa doublure, elle leva les yeux.

Et resta clouée de stupeur et de peur.

Là, devant elle, il y avait l'homme qu'ils avaient voulu délester la veille! Elle reconnut le chapeau melon et la canne au pommeau de cuir! Que faisait-il là? Comment l'avait-il retrouvée? Que voulait-il?

— Tu n'as pas l'air de vouloir être vue, sauterelle! nota-t-il à voix basse. Hein? Je me trompe?

Il aperçut l'os du jambon qui sortait par un des trous du manteau d'Aggie, mais il ne dit mot. Il la tenait par le poignet, les doigts froids comme la pierre, et au moins aussi durs. Avant qu'Aggie pût résister, il la traîna vers le petit abreuvoir empli d'eau, à côté du poulailler. Elle regarda autour d'elle, afin de voir où se trouvait Orin. Personne. Il avait dû filer dès l'apparition du melon et de la canne !

— Débarbouille-toi ! ordonna l'homme, toujours très bas.

— Quoi ? ! s'offusqua-t-elle. Moi ? Jamais ! J'suis propre ! En tout cas pas plus sale que vous !

— Obéis. Ôte-moi cette crasse de tes joues.

— Z'êtes pas un gentleman ! gronda Aggie, tout bas elle aussi car si cet homme lui fichait la trouille, elle craignait les Hume encore plus.

— Je le croyais ! continua-t-elle, Orin aussi le croyait. Mais on se trompait ! Et dans les grandes largeurs !

Elle tenta de mordre la main qui la retenait prisonnière mais ses dents ne réussirent jamais à l'atteindre. Ce qui la rendit folle furieuse. Elle cracha.

— Z'êtes gentleman comme moi j'suis la fille à Rockfeller et Vanderbilt réunis !

Elle le distinguait mieux que l'autre soir, à présent. Comment Orin et elle n'avaient-ils pas remarqué son melon tout froissé, ses manches usées, l'absence de manchettes à la chemise, la veste trop courte, râpée, récupérée aux Puces ? Quant au pommeau de cuir de sa canne, il était tout frotté. Comment avaient-ils pu se laisser berner à ce point ?

Elle regarda encore autour d'elle, à tout hasard. Mais Orin s'était bel et bien carapaté ! L'homme fronçait les sourcils, silencieux.

Il plongea la main dans l'eau de l'abreuvoir et frotta tout le visage d'Aggie. Elle retint un cri (et le jambon). L'eau était glacée !

Sans pitié la main revint et la débarbouilla à nouveau. Aggie lança des coups de pieds dans toutes les directions.

L'homme la souleva et la porta sans effort jusqu'à la fenêtre de la cuisine. La lumière tomba comme l'attrape-papillons sur le petit visage d'Aggie enfin redevenu blanc.

– Par saint Georges et saint Anthony, saint Fiacre et saint Brisac tout ensemble… murmura la voix sous le melon cabossé. Je n'avais donc pas rêvé… Allez, suis-moi ! ajouta l'homme, changeant de ton, comme s'il venait de découvrir l'or d'Abyssinie.

Aggie se cramponna à l'abreuvoir.

– Sûrement pas! J'ai d'la moralité! J'ai jamais suivi les messieurs que j'connais pas!

L'homme fixa l'os du jambon qui dépassait par le trou du manteau. Il ricana.

– De la moralité, hein?

– J'vous suivrai pas.

Il soupira avec ennui.

– Tu préfères en discuter avec Gedeon Hume?

– Pouvez vous brosser!

– … ou avec Mistress Hume?

– J'vous suivrai pas, que j'vous dis!

– … La police?

Elle le suivit.

5

Ils marchèrent près d'une demi-heure, vers Ambrose Chappel, Aggie traînant les pieds, l'homme lui tirant le bras, le jambon tirant sa doublure. Quand ils eurent quitté le quartier de la pension, Aggie tenta bien de lui fausser compagnie, mais les doigts de pierre ne relâchaient pas leur pression. À bout d'arguments, de forces et de possibilités, elle le traita d'une dizaine de noms d'oiseaux.

L'homme demeurait impassible.

Ils arrivèrent à un petit bâtiment dans une impasse bordée d'entrepôts déserts. La porte semblait tenir tout l'immeuble et visiblement, ça lui donnait la migraine. Elle montrait l'air le plus triste, le plus las, le plus découragé qu'une porte puisse avoir.

– J'rentrerai pas! se cabra Aggie. J'suis une honnête fille!

L'autre leva les yeux au ciel, les posa ensuite sur Aggie. Il les avait plus clairs qu'elle ne l'avait cru. Lui aussi semblait triste et las.

– Tu ne seras pas seule, dit-il. Il y a Mrs Pemberton Rushworth qui est la meilleure des créatures.

Ils montèrent quatre étages, jusqu'à un couloir où le parquet craquait comme un squelette de dinosaure, et s'arrêtèrent devant une porte vitrée où étaient inscrits ces mots:

Pemberton Rushworth
Détective Privé – Investigations

Mais, cela, Aggie Barrie ne put pas le lire, car elle n'avait jamais appris.

Ils entrèrent dans une pièce où s'entassaient poussière, dossiers, vieux meubles, factures, faillite, disette et privations.

– Pourquoi qu'vous m'amenez là?

Elle allait ajouter: «Et où c'est qu'elle est, c'te dame dont vous causiez tout à l'heure?», mais elle garda les lèvres closes car quelqu'un toussait à côté.

Elle se retourna et, dans une alcôve tendue de vieilles tapisseries, assise dans un lit, aperçut la dame en question.

– Mrs Pemberton Rushworth, la présenta l'homme en retirant son melon bosselé. Mon épouse.

Laquelle toussa encore avant de pouvoir sourire à Aggie. C'était un faible sourire, mais joli malgré tout, et absolument gentil. Pemberton Rushworth lâcha enfin le bras d'Aggie qu'il tenait prisonnier depuis une heure dans sa poigne. Elle se massa.

– Tu as mal? lui demanda la dame du fond de son lit. Mr Rushworth, tu es une brute, parfois. Approche-toi, petite.

Aggie obéit.

Une lampe à gaz, anémique et pâlichonne, à l'image de la dame qu'elle éclairait, clignotait à l'intérieur de l'alcôve comme si elle avait une poussière dans l'œil.

– Mais tu n'es pas petite du tout, dit la dame avec son doux sourire. Tu es même grande.

De sa beauté passée, la dame avait gardé de fines oreilles, de longs cils bruns, un teint de crème. Pemberton Rushworth attrapa le menton d'Aggie, le tourna en direction de son épouse :

– Regarde, dit-il. Vois, Millicent. N'est-ce pas étonnant ?

Après une quinte de toux, elle observa Aggie, ainsi que le lui demandait son mari. Elle hocha la tête.

– C'est pourtant vrai, Mr Rushworth.

– Avec un peu de lavage, marmonna-t-il, un peu de décorum…

– Je crois bien que tu as raison, Mr Rushworth. Mais chauffe donc une tasse de bouillon à cette jeune fille. Il ne me paraît pas qu'elle ait beaucoup mangé ces temps-ci.

– Le manteau de notre demoiselle a l'incroyable fortune de contenir un jambon presque neuf. En voudras-tu une tranche, chère Millicent? s'enquit Pemberton Rushworth.

Aggie se demanda comment quelqu'un qui avait la poigne si dure pouvait soudain user d'une voix si douce.

– Pas pour le moment, répondit Millicent. Elle ajouta:

– Merci, Mr Rushworth.

Il mit le bouillon à chauffer, le pain à griller. Il s'empara du jambon avant qu'Aggie pût le retenir, y découpa une tranche, et le remballa avec soin dans un linge propre avant de la servir.

Pemberton Rushworth s'assit et regarda Aggie qui dévorait.

– J'imagine que tu te demandes de quoi nous parlons, Mrs Rushworth et moi-même, à ton propos?

Oui, Aggie se le demandait. Elle se l'était demandé tout au long du chemin, mais, là, tout de suite, elle avait trop faim, elle préférait manger d'abord.

– Comment as-tu atterri chez les Hume? interrogea-t-il à brûle-pourpoint.

Elle plissa le front, avec un bref arrêt de sa mastication.

– Comment qu'vous savez que c'est pas eux, mes parents ?

– Je me suis renseigné.

Entre pain, jambon et bouillon, elle raconta :

– Ils m'ont gardée à ma naissance. Ma mère, Ginnie Barrie, était servante chez eux. Ils la faisaient bosser dur. C'est Poodlespring, le laitier, qui m'a raconté. Même enceinte, elle devait laver la maison de haut en bas, les escaliers, la cour, porter les seaux… À l'accouchement, c'est elle qui était lessivée ! L'avait plus de forces. C'est ce qu'il m'a raconté, Poodlespring. Alors, elle est morte, juste quand moi j'suis née, elle avait plus de souffle…

Aggie désigna la dernière tranche de pain sur la table :

– J'peux finir ?

Mrs Rushworth hocha la tête, des larmes plein la gorge. Aggie attrapa ce qui était sa septième tranche et, tout en engloutissant, remarqua que Pemberton Rushworth avait retrouvé ses yeux foncés.

Il se leva, ouvrit un tiroir, en sortit une enveloppe brune. Il la retourna délicatement sur le lit. Un médaillon ovale en tomba. Son couvercle en émail était fermé et décoré d'un S où s'entrelaçaient des roses et des liserons.

Ben, quoi ? songea Aggie. En quoi, qu'ça me r'garde ?

Pemberton Rushworth ouvrit le médaillon et montra son contenu à Aggie. Elle se pencha.

— Sainte Peanut ! s'étrangla-t-elle. Par sainte Peanut, sainte Pelagia et sainte Diandra réunies !

Au creux du médaillon, il y avait le portrait finement peint d'une fillette rousse d'environ huit ans, au visage criblé de rousseurs, au nez relevé en manche de cuillère…

— On dirait toi, n'est-ce pas ?

— C'est ma foi vrai.

— Mais ce n'est pas toi.

— J'le sais bien, que c'est pas moi ! Qui c'est que c'est ?

Pemberton Rushworth lança un regard offensé à son épouse qui ne put s'empêcher de rire, ce qui lui déclencha une toux qu'elle essaya en vain d'étouffer.

— «Qui c'est que c'est» n'est pas de la meilleure grammaire, constata Mr Rushworth. Tu veux sans doute dire «Qui est cette petite fille»?

— Qu'e'qu'j'ai dit d'autre? riposta Aggie. Qui c'est qu'c'est, que c'te donzelle?

Pemberton Rushworth soupira. Il répondit:

— Cette, hum, donzelle, comme tu dis, se nomme Margaret Selwyn. Elle a disparu, il y a plus de cinq années. Sa famille la cherche depuis ce jour. Et si tu es d'accord, Aggie Barrie, je vais faire ta fortune et la nôtre.

— Si que j'suis d'accord pour me fortuner? rétorqua-t-elle. Comment que c'est que j'pourrais dire non?

Et elle cracha sur sa main avec un rictus d'enthousiasme. Pemberton Rushworth eut un nouveau, et long, très long soupir.

— Mrs Rushworth, dit-il à sa femme, un labeur incommensurable nous attend.

6

Dans une autre vie, et avant de s'établir détective privé, Mr Rushworth avait été professeur à Philadelphie. C'est là qu'il rencontra la riche héritière d'un roi de la capsule pour bouteille à soda. Elle avait de fines oreilles, des yeux veloutés, de longs cils, un teint de crème fraîche, elle se nommait Millicent Darlington, il tomba amoureux fou et l'épousa.

Quand il l'apprit, le roi de la capsule à soda déshérita instantanément sa fille.

— Voilà, acheva Millicent Rushworth. Mon mari est devenu détective privé. Ç'a marché bon an, mal an… jusqu'à il y a deux ans. Je suis tombée malade et, depuis, les soins engloutissent tout ce qu'il gagne.

— Mais, objecta Aggie après avoir réfléchi de longues secondes, il y a une chose que je ne comprends pas… Pourquoi avoir quitté la belle maison de votre père pour vous marier ?

Millicent Rushworth ouvrit de grands yeux :

— Mais… parce que j'aime beaucoup Mr Rushworth.

Aggie pencha la tête. Elle continuait de ne pas comprendre.

Millicent venait de lui décrire sa vie d'avant, quand elle était une jeune fille riche… Sa chambre tapissée de satin, les coussins roses, dodus comme des dragées, les trente domestiques, les cinq voitures, son cheval Dandy, les chiens Hubert et Norbert, les étés à Long Island, les Noëls dans le Vermont… Non, elle n'imaginait pas que l'on pût quitter tout cela (et surtout pas des chiens nommés Hubert et Norbert !) pour un Mr Pemberton Rushworth.

Millicent lui tapota la main.

— Mr Rushworth est l'être le plus exquis de la terre, dit-elle doucement.

Un silence flotta. Millicent sourit à Aggie.

– Allons. Aujourd'hui nous allons apprendre comment une jeune fille doit nouer son foulard et accrocher des myosotis à son manchon…

*
* *

En deux mois, Aggie Barrie apprit bien des choses.

À déchiffrer l'alphabet, à reconnaître des syllabes, puis des mots, puis des phrases… On pouvait appeler cela «lire». Elle n'était pas sotte, elle ne se débrouilla pas si mal.

Pemberton Rushworth lui faisait la classe quatre heures tous les matins, même le dimanche. L'après-midi, Millicent lui enseignait l'art de bien se tenir, de marcher en déroulant gracieusement le pied et non plus en battant des semelles.

Elle lui apprit surtout à parler, et non plus à piauler (dixit Mr Rushworth).

À articuler les «A» de façon que sa mâchoire vînt frapper le dos de sa main posée dessous.

À rajouter à certains mots un « H » dont elle n'avait jamais su qu'il existait !

À placer sa fourchette, son couteau, ses mains, au bon endroit autour de son assiette.

À ne plus balancer ses jambes à table.

À oublier de siffler. De cracher.

À se moucher sans avoir l'air de se moucher.

À s'exclamer : « Oh, mais quel ravissement ! » ou « Le croiriez-vous ? » ou encore « Bonté divine ! » lorsque c'était utile, c'est-à-dire presque tout le temps.

Bref, on lui apprit toute cette sorte de choses qu'apprennent les riches dès l'enfance car il faut bien occuper son temps. Au reste, il ne fallait pas courir le risque que la famille Selwyn rejette Aggie au prétexte qu'elle avait de mauvaises manières !

Un jour de la mi-juin, après une série de « H aspirés » particulièrement réussie *(les habitants en haillons du hameau de Hampton Court halent habituellement en hâte les hallebardes sur le chemin de halage)*, Pemberton Rushworth eut un de ses fameux très longs soupirs, un sourire éclaira son visage. Il dit :

— Je crois que tu es prête, Aggie.

Il avait ses yeux clairs.

— Qu'en dis-tu, Mrs Rushworth ?

Millicent sourit en silence, du fond de ses oreillers.

7

Bramberry Hall était une imposante demeure en pierre claire, posée sur une pelouse tellement brillante qu'on l'aurait crue chaque jour astiquée par un domestique dévoué à ce seul but.

Le cœur d'Aggie Barrie cessa de battre. Elle se sentait minuscule et ridicule sous les hautes colonnes blanches. Elle s'arrêta de marcher et posa une main sur la manche de Pemberton Rushworth.

– Si tu ne connais pas la réponse à une question qui te sera posée, dit-il, la voix un peu enrouée, tu n'as qu'à dire simplement que tu as oublié ou que tu ne sais pas.

Elle nota que ses doigts tremblaient discrè-tement. Lui aussi était anxieux.

– Et surtout, murmura-t-il brièvement, n'enlève ta coiffe que lorsque je te le dirai. Pas avant.

Il toussota. Il actionna le heurtoir qui était une tête d'ours en argent. Un long silence. Si long qu'on pouvait croire qu'on les avait oubliés. Aggie était sur le point de s'en réjouir et de faire demi-tour, mais…

Un homme leur ouvrit, qui paraissait n'être composé que de rayures: celles de son gilet jaune et noir, celles de ses cheveux alignés au peigne, celles de sa mince moustache et de ses hautes dents que les lèvres ne parvenaient pas à couvrir tout à fait.

– Monsieur vous attend, dit-il.

Aggie, qui avait cru qu'il s'agissait de Mr Selwyn, « son oncle », se sentit soulagée que ce ne fût pas lui.

Il les mena dans un salon dont les fenêtres donnaient sur la pelouse astiquée et des massifs de fleurs au rose éclatant. Un lustre rond comme un soleil s'épanouissait sous un plafond aussi lointain que la statue de George Washington quand on la regardait depuis les collines de Reef Stand.

Pemberton Rushworth grimaça un sourire d'encouragement à Aggie. Elle avait les jambes toutes molles. Tout, ici, était si vaste, si haut, si…

Une porte en velours, or et jonquille, s'ouvrit, livrant le passage à un monsieur qui était, cette fois elle n'en douta pas – le maître des lieux : Henry W. Selwyn, celui à qui elle allait devoir jouer le rôle de la nièce perdue et retrouvée.

Aggie Barrie faillit prendre ses jambes à son cou. La main de fer de Pemberton Rushworth la retint à temps. Il la força à lever la tête vers l'homme qui venait d'arriver. Mais elle conserva ses paupières baissées.

Rushworth toussota une nouvelle fois.

– Bonjour, Sir, dit-il. Lorsque vous m'avez confié la mission de retrouver votre nièce, je vous ai fait la promesse de faire tout ce qui était en mon pouvoir pour vous la ramener. Vous en souvenez-vous ?

Henry W. Selwyn resta immobile, silencieux.

– La voici, Sir, continua Rushworth. Voici votre nièce, Margaret, après cinq, presque six, années d'absence.

Aggie ne put plus se retenir. Elle leva les yeux.

Henry Selwyn braquait sur elle l'éclat de son regard bleu. Aggie y chercha quelque chose, elle ne savait trop quoi, quelque chose qui révélait peut-être qu'il ne se montrerait pas méchant s'il venait à comprendre la supercherie. Elle avait l'impression qu'il suffisait d'un coup d'œil pour deviner immédiatement qu'elle était une menteuse et un escroc.

Pemberton Rushworth dénoua prestement la coiffe qui cachait les cheveux d'Aggie. Mrs Rushworth les avait soigneusement brossés, lissés, tressés, ce matin, en lui répétant combien était magnifique, unique, cette chevelure de feu. Jamais personne avant Millicent n'avait complimenté Aggie sur ses cheveux.

On l'avait plus souvent traitée de sorcière, de diablesse, etc.

— Seigneur… murmura simplement Henry Selwyn.

Et Pemberton Rushworth sut qu'il avait touché juste. C'est lui qui avait insisté pour cacher les cheveux, point fort de la ressemblance avec la disparue, afin de mieux les révéler le moment venu. Henry Selwyn continua :

— Rousse, oui… Ce nez, pourquoi pas… Mon Dieu, ces yeux… La même couleur que ceux de sa pauvre mère, ma sœur…

Saisi par l'émotion, il mit la main sur ses paupières. Il se reprit très vite, se redressa, un pouce glissé sous le revers de son gilet.

— Rushworth, dit-il. Jurez-vous que c'est elle ? Êtes-vous sûr qu'il s'agit là de notre petite Margaret ?

La voix de Pemberton Rushworth ne trembla pas :

— Certain, Sir. Elle a changé, bien sûr ; cinq années, presque six, ce n'est pas rien. Surtout à cet âge… Et puis, elle se trouvait chez de pauvres gens, fort braves, certes, mais sans lettres ni éducation… Vous ne serez pas surpris si, au détour d'une phrase, sa grammaire et ses manières laissent, hum, un peu à désirer…

— Non, non, bien entendu.

Mr Selwyn se tourna vers Aggie. Il parut sur le point de lui dire quelque chose, de se pencher, de l'embrasser peut-être. Mais il demeura immobile, une lueur indéfinissable dans le regard.

— Veux-tu aller voir le jardin de ta nouvelle maison ? proposa Mr Rushworth à Aggie.

Elle devina qu'ils allaient parler « affaires ». Elle savait que la vraie Margaret Selwyn « valait » dix mille dollars, montant de la récompense promise. Elle s'exclama, élevant ses poings gracieusement joints, ainsi qu'elle l'avait répété cent fois avec Millicent :

— Oh, quel ravissement…

— Je vais sonner Miss Apley, notre gouvernante. Elle va te conduire.

— Non, je vous en prie, s'écria Aggie. Je… N'la… Ne la dérangez pas, je n'irai pas loin.

Pemberton Rushworth approuva imperceptiblement de la tête. Voilà. Les premières phrases qu'elle prononçait. Ce n'était pas si mal. «Non, je vous en prie.» La vraie Margaret Selwyn aurait pu dire cela. Aggie se sentit un peu rassérénée. Elle salua aussi élégamment que le lui avait enseigné Millicent, et sortit.

Le soleil de juin était splendide. Elle s'avança vers les massifs de fleurs, en prenant soin de marcher à pas menus, tel qu'une demoiselle était censée le faire, pour le cas où on l'aurait observée.

Elle aperçut un chien. Elle pensa à Mister Bones, non parce que celui-ci lui ressemblait, celui-ci était un animal de race, aux oreilles plates, douces et chevelues, à la truffe fine, rien à voir avec les bonnes bajoues baveuses… Elle y pensa uniquement parce que c'était un chien, voilà tout.

Il s'élança en jappant vers elle. Elle le reçut dans ses bras en riant.

– Peux-tu ramasser sa laisse, s'il te plaît? ordonna une voix.

Aggie vit une fille, à peine plus jeune qu'elle, assise sur un banc au milieu de la pelouse, les plis de sa robe harmonieusement étalés autour d'elle, comme une poupée que sa propriétaire aurait plantée là pour s'en aller pique-niquer.

— Peux-tu ramasser cette laisse? Es-tu sourde?

Aggie plissa le nez. Elle détestait les ordres. Particulièrement donnés sur ce ton.

— Je ne suis pas ta bonne! rétorqua-t-elle.

L'autre la dévisagea sans un mot. Puis elle appela son chien.

— Ici, Tooth… Quant à la compagnie, elle n'est guère aimable!

— Pourquoi ne te lèves-tu pas pour chercher sa laisse toi-même?

— Parce que c'est impossible.

Le chien sauta sur les genoux de la fillette et lui donna de grands coups de langue sur la joue. Elle le repoussa en riant aux éclats. Aggie sentit son cœur devenir tout petit, se serrer en boule. Avec Mister Bones, elle jouait exactement de cette façon… Elle s'assit brusquement sur le banc de pierre, à côté de la poupée vivante dans sa belle robe à plis, et elle fondit en larmes.

La poupée ne bougea pas, ne dit rien. Au bout d'un moment, alors que le dos d'Aggie était encore tout secoué de sanglots, elle avança une main, lui tapota l'épaule :

— À moi aussi, ça m'arrive. Je pleure sans raison.

— Mais… j'ai… j'ai des raisons ! hoqueta Aggie, ravagée de chagrin. Plein de raisons, même ! La première, c'est que mon chien est mort. Alors quand… quand je vois le tien… je ne l'avais jamais pleuré avant ça…

— Oh.

Au bout de quelques minutes, les larmes d'Aggie cessèrent. Toutes deux, ou plutôt tous les trois observèrent, en silence, le jardinier qui arrosait, tout là-bas.

— Pourquoi s'appelle-t-il Tooth, ce chien ? demanda Aggie. Ses crocs sont-ils spécialement méchants ?

— Oh pas du tout ! C'est juste que c'est Blimp qui l'a trouvé dans un bosquet. Tu as dû voir Blimp. C'est lui qui ouvre la porte de la maison.

Aggie lui coula un regard et esquissa un sourire. Le valet tout en rayures et en dents... Elles pouffèrent.

Puis :

— Maintenant, peux-tu ramasser cette laisse, je te prie ?

— Je ne suis toujours pas ta bonne, répondit Aggie.

Qui ajouta après trois secondes :

— Mais je vais te la chercher parce que je suis une fille aimable et que j'aime les bêtes... comme toi.

*
* *

Dans la maison, Henry W. Selwyn pivota, mains dans le dos, cessant d'observer à la fenêtre la pelouse et les massifs de fleurs.

— Voyez-vous, Mr Rushworth, dit-il. Ma fille ne marche pas. Elle n'a jamais marché et jamais ne marchera. Elle avait cinq ans à la disparition de Margaret. Elle se souvient très peu d'elle. Mais Margaret… elle doit certainement se rappeler.

Pemberton Rushworth secoua la tête.

— Ne croyez pas cela. Son enlèvement est pour elle comme un rideau. Elle a probablement tout oublié. Au fond, n'est-ce pas ce qui peut arriver de mieux ? Maintenant qu'elle est retrouvée… À vous de lui créer de nouveaux et beaux souvenirs, Mr Selwyn.

Il posa la main sur sa poitrine, à gauche, là où battait son cœur (et il battait vite en cet instant) et où se trouvaient, pliés, les dix billets de mille dollars que venait de lui remettre Henry Selwyn. Il n'en revenait pas de posséder une telle fortune. Ni que cette fortune occupât si peu de place. Dix feuilles minces. Même pas l'épaisseur d'un beefsteak ; du beefsteak que, ce soir, il cuisinerait à Millicent, le premier d'une longue série qui ranimerait le sang dans ses veines et chasserait la maladie.

— Au revoir, Mr Selwyn, dit-il. Consolez cette enfant de tous les chagrins et de tous les malheurs qui ont été son lot. Faites-lui une belle vie… d'enfant.

Henry W. Selwyn reconduisit Pemberton Rushworth à la porte. Il le suivit du regard, par la fenêtre, jusqu'à ce qu'il eût disparu à la grille. Puis ses yeux revinrent aux massifs de fleurs où sa fille et sa nièce jouaient avec Tooth.

Il ouvrit les battants, le soleil entra à flots dans la pièce. Il entendit sa fille dire :

– Je m'appelle Alice. Je peux t'appeler Maggie ?

Aggie ne vit pas partir Mr Rushworth. Plus tard, elle ressentit un peu de déception qu'il ne lui ait pas dit au revoir. Elle avait la sensation d'avoir été jetée au milieu d'une rivière comme un vieux seau dont personne ne savait s'il allait flotter.

8

Mais bientôt, elle fut embarquée par les événements. Mr Selwyn la confia à Miss Apley, la gouvernante, femme au chignon carré et aux yeux étonnamment ronds, qui l'emmena chez la couturière pour lui composer une garde-robe, puis chez le coiffeur pour «discipliner cette chevelure, fort belle certes, mais tellement désordre!»

Alice l'aida à choisir la tapisserie de ce qui allait être sa chambre, une jolie pièce lumineuse qui donnait sur l'étang derrière la maison. En attendant, Aggie partageait la chambre d'Alice.

— Pourquoi ne m'as-tu pas dit tout de suite que tu ne pouvais ni te lever ni marcher, la première fois qu'on s'est vues ? lui demanda Aggie, un soir. Je me suis sentie tellement bête ensuite.

— Veux-tu que j'arbore une pancarte accrochée à mon cou ? « Attention, unijambiste » ?

— Tu n'es pas unijambiste, répliqua Aggie qui savait ce qu'était un unijambiste à cause de Humbert-One-Leg qui mendiait à l'angle de la 34e, mais se demandait ce que signifiait « arborer ». Tu es une enquiquineuse, ça oui.

Mr Selwyn entra dans la chambre à ce moment, pour le baiser du soir. C'était un rite qu'Aggie attendait désormais avec impatience et… appréhension. Il leur lisait un conte qu'Aggie écoutait avidement, elle à qui on n'avait jamais lu d'histoires, puis elle attendait le moment du baiser, ce doux chatouillis sur la joue, elle n'avait pas l'habitude, mais elle adorait. Elle se disait que Mister Bones aurait aimé Mr Selwyn. Et réciproquement.

En même temps, la peur la tenaillait. Elle s'attendait à tout moment que son « oncle » pointât le doigt sur elle en la traitant de menteuse et de voleuse. Mais le temps passa. Et cela n'arriva pas.

*
* *

Le matin, elle suivait les leçons du jeune Mr Anderson, leur précepteur. Elles étaient assises côte à côte, Alice et elle, et s'envoyaient des coups de coude chaque fois que Mr Anderson se passait la main dans les cheveux. Elles comptaient le nombre de fois. Parfois, cela pouvait aller jusqu'à quarante-quatre.

Un jour, Aggie ne put s'en empêcher, elle subtilisa, par jeu, un mouchoir qu'il avait dans la poche. Il ne s'en aperçut pas. Alice ouvrit les yeux de surprise et d'admiration.

— Où as-tu appris ces tours de pickpocket ? souffla-t-elle.

Aggie rougit violemment. Elle laissa tomber le mouchoir par terre, où Mr Anderson le récupéra, croyant qu'il était tombé de sa veste. Quant à Aggie, elle ne le refit plus jamais.

Et puis, surtout, elle mangeait.

Elle devenait de moins en moins pointue.

Les premiers temps, elle reprenait cinq fois de chaque plat et tartinait de beurre épais la moindre croûte. Peu à peu, elle comprit que personne ne lui volerait plus jamais la bouchée qu'elle était en train de mâcher, et commença à se nourrir raisonnablement.

Oui, Aggie était heureuse, et chaque matin en se réveillant, chaque soir en se couchant, elle se demandait ce qu'elle avait fait pour mériter tout cela. Dans ces moments-là, son cœur se recroquevillait, devenait froid, les yeux lui brûlaient, elle avait peur.

– Imagine, se disait-elle, imagine que la vraie Margaret apparaisse ?

*
* *

Elle apprit à Alice à tordre ses lèvres pour siffler très fort à travers le grand parc. Elle lui apprit à disputer un match de « Prison ball » malgré son fauteuil à roues. Mr Selwyn, qui voyait sa fille aimée rire et s'épanouir était aux anges.

Parfois, il s'installait dans le canapé vert

amande, entre sa fille et sa nièce, et feuilletait l'album de la famille Selwyn.

— Qui est cette très vieille dame? demandait Alice (qui connaissait la réponse).

— Granny Wilson, la maman de ma maman.

— Et là?

— Ma chère sœur Edith, ta mère, répondait Mr Selwyn à Aggie. Morte du chagrin de t'avoir perdue.

Et il était si ému qu'Alice se mettait à pleurer. Aggie, elle, ne pleurait pas. Elle baissait le front et se mordait les lèvres.

*
* *

Elles allèrent en ville avec Miss Apley la gouvernante, pour acheter une laisse à Tooth qui avait rongé la sienne. Elles affrontèrent le grand marché d'Eastwales, leurs sacs serrés sous le bras.

À la demande d'Alice, c'est Aggie qui poussait le fauteuil. Miss Apley, qui trouvait le marché «plein de désordre, de monde et de tapage», se consolait en marchant vite, un petit mouchoir aspergé de parfum sous le nez.

– Tu es la personne qui pousse le mieux mon fauteuil, assurait Alice. Pas gnangnan. Mais pas comme au manège turc non plus.

Aggie n'avait aucune idée de ce qu'était un manège turc, mais elle se sentait flattée et aimée. C'était fort agréable.

Dans une allée, elles découvrirent des livres illustrés, dans une autre, un petit gramophone qui jouait *Those little white lies*... Du coup, elles eurent envie d'acheter la partition pour pouvoir la chanter avec les paroles. Aggie voulut payer. Elle était si fière d'avoir de l'argent de poche désormais!

Elle plongea les doigts dans la poche de sa jupe et... rencontra d'autres doigts! Dans un pur élan instinctif, un vieux réflexe de sa vie «d'avant», elle agrippa la main étrangère, la souleva et se tourna.

– Orin! s'écria-t-elle, mi-amusée, mi-scandalisée. Que fait ta main dans ma poche?

– Aggie! s'exclama-t-il. Ben ça alors, tu...

Elle prit soudain conscience de la situation et lui fit signe de se taire.

— Maggie ! corrigea-t-elle bien haut. Décidément, tu fais toujours la même erreur...

Elle ne lui laissa pas le temps, elle lui présenta Alice :

— Orin O'Erlihy. Un voisin... d'avant. Orin,
voici Alice Selwyn, ma cousine.

Fort heureusement, Miss Apley se tenait à
quelques pas devant, en conversation avec un
vendeur de dentelles.

— Hein ? s'étrangla Orin. Comment ça, ta
cou... ?!

L'œil glacé d'Aggie le coupa net.

— T'en as, de belles frusques ! bifurqua-t-il
illico.

— Je t'expliquerai lui chuchota-t-elle à
l'oreille. Bye, Orin ! reprit-elle plus fort. Il n'a
que huit ans, souffla-t-elle à Alice.

Orin entendit et la foudroya du regard. Elle
chercha dans son porte-monnaie, lui glissa un
quart de dollar. Il le prit, le regarda, et le lui
relança lestement.

— Puisses-tu recevoir tous les fléaux
d'Égypte, conclut-il.

Et il partit, sa petite taille aussitôt engloutie par la foule du marché.

Aggie fronça les sourcils. Pourquoi râlait-il? Elle lui avait donné de l'argent, non? Quelle mouche le piquait!?

9

La vie à Bramberry Hall suivait son cours. Un midi, un petit commis de chez Harold's vint livrer les dernières robes commandées pour Aggie. Elle poussa un petit cri de joie. Elle avait désormais six robes, jamais elle n'aurait rêvé en avoir autant ! Elle en avait une bleue à ruchés gris, une rouge avec des amours de petites manches rondes, une marron à plis plats, une grise avec, sur la poitrine, une broderie qui représentait un perroquet coloré, une rose en mousseline, une noire en velours. Tout ça, oui, tout ça était à elle. Elle se pinçait trois fois le matin, et trois fois le soir, pour s'assurer qu'elle ne rêvait pas.

Mais le jour le plus magnifique fut celui où

Mr Selwyn rentra de son bureau et vint la trouver alors qu'elle était en train de relire un conte qu'il avait lu la veille au soir.

Il arriva, avec un de ces sourires qu'il avait, et qu'Aggie apprenait peu à peu à déchiffrer. Ce sourire-là voulait cacher qu'il avait une idée derrière la tête.

– Quoi, mon oncle? interrogea-t-elle.

Elle disait dorénavant «mon oncle» sans la moindre difficulté. Car il était vraiment devenu son oncle, son bon oncle Henry, qu'elle aimait beaucoup, vraiment beaucoup.

– Veux-tu aller voir dans l'appentis? Là où le jardinier range ses outils?

– Quoi, mon oncle? répéta-t-elle, les yeux brillants.

Et Alice, qui arrivait de sa leçon de hautbois, s'écria, elle aussi:

– Quoi, papa? Quoi?

Elles s'élancèrent sur la pelouse en pente, l'une poussant le fauteuil de l'autre, suivies de Tooth les oreilles au vent, vers la remise du jardinier, et poussèrent la porte.

Ce fut une explosion de joie. Là, dans la pénombre, sur une couverture, était assis un petit chien aux longues joues noires baveuses, aux grosses narines touchantes. Aggie sentit les larmes qui jaillissaient de ses yeux.

– Ce n'est pas Mister Bones, dit l'oncle Henry en arrivant sur le seuil, derrière elle. Personne ne peut remplacer Mister Bones. Mais ce petit chien a juste envie qu'on s'occupe de lui.

Aggie avala sa salive, et la boule, et les larmes, qui lui bouchaient la respiration. Elle hocha la tête.

– Non, dit-elle, ce n'est pas Mister Bones, mais je m'occuperai bien de celui-ci.

Et Mr Selwyn reçut tout le monde, filles et chiens dans le désordre, entre ses bras.

*
*   *

Vers la fin juillet (Aggie vivait à Bramterry Hall depuis quelques semaines) un cabriolet tiré par deux jolis chevaux s'arrêta au bas du perron. Une dame d'un certain âge, vêtue de ruchés mauves et tenant une ombrelle rose, en descendit. Henry Selwyn l'accueillit dans ses bras, il paraissait ravi de cette visite.

– Tante Itta! s'écria Alice dans un cri de joie.

Elle fit rouler son fauteuil le plus vite qu'elle put. Aggie la rattrapa dans l'allée.

Comme souvent, lorsqu'une situation était un peu inattendue, elle faillit oublier sa grammaire. Elle allait demander: «Qui que c'est?», mais se rattrapa à temps.

– Qui est-ce? interrogea-t-elle. Qui est tante Itta?

– C'est vrai, tu ne peux pas la connaître. C'est tante Isadora Westmore, la plus jeune sœur de ma grand-mère Selwyn… Tu vas l'adorer. Tout le monde l'adore, et tout le monde l'appelle Itta!

Aggie se tint un peu en retrait. Elle les regarda échanger des baisers et des exclamations de joie. Lorsque tante Itta se tourna vers elle, elle referma son ombrelle rose qu'elle donna à oncle Henry comme s'il était son chevalier servant, rajusta ses petites lunettes en or sur un nez qui était long, pointu et fort élégant. Elle observa Aggie droit dans les yeux :

— Viens donc, petite. Si j'ai mangé quelques enfants, personne ne peut le prouver. Je peux donc m'abriter sous la présomption d'innocence.

Aggie n'y comprit rien du tout. Elle resta bras ballants, bouche ouverte, à se demander ce qu'il fallait qu'elle fasse et dise. Elle avait toutefois entendu le mot « innocence » et, subitement, ne se sentit pas tranquille.

Tante Itta se pencha, prit une des grosses boucles rousses d'Aggie dans sa main. Un bref éclat de tristesse passa dans ses yeux.

— Notre pauvre Edith avait les mêmes cheveux. J'espère que tu as hérité d'elle toutes ses autres qualités.

Tandis que tante Itta l'embrassait tendrement, Aggie sentait son cœur battre, comme le premier jour où Pemberton Rushworth l'avait amenée ici, et remise à son « oncle ». Tante Itta avait-elle connu la vraie Margaret ?

Était-elle un… danger?

«Si tu n'as pas la réponse à une question, dis que tu ne sais pas, ou bien que tu as oublié.» Elle n'oubliait pas le conseil de Mr Rushworth.

En fait, l'après-midi se passa plutôt bien. Tout d'abord, on les laissa vite tranquilles, Alice et elle. Après une demi-heure passée avec la vieille dame, elles repartirent s'amuser dans le parc d'où on ne les rappela que pour le goûter.

Ce fut le moment où les choses se gâtèrent. Tante Itta leur posa des questions sur ce que Mr Anderson, le précepteur, leur apprenait, quels étaient leurs devoirs et leçons, etc. Soudain, tout en dévorant un petit sandwich au concombre servi par Blimp, la tante s'écria:

— Et, au fait, joues-tu toujours aussi bien du piano?

Aggie mit quelques secondes avant de comprendre qu'on s'adressait à elle. Quand elle vit tous les yeux braqués sur elle, un chatouillis désagréable lui parcourut le dos.

— Oui, Maggie, c'est à toi que je parle. As-tu perdu ta langue? Tu jouais si bien! À huit ans, avant toute cette… tragédie, tu étais un véritable prodige du clavier. Ta mère t'appelait son petit Mozart. Tu te rappelles de cela ?

Aggie baissa la tête, la bouche pleine du sandwich qu'elle venait d'enfourner. Elle l'avala d'un coup, attendit qu'il fût passé (il mit le temps) avant de répondre à voix basse :

– Non, tante Itta… Je ne me souviens pas.

Tante Itta se tourna vers son neveu :

– Il paraît, pourtant, que même dans les amnésies les plus sévères, jouer d'un instrument est la dernière chose qui reste. Un peu comme manger, nager, marcher… Quand on a appris, on sait pour toujours.

Aggie était devenue toute blanche. Ses taches de rousseur parurent presque brunes. Voilà. On croit que tout va bien, qu'on est à l'abri. Et… voilà.

Il n'y avait plus qu'à avouer, crier la vérité. *Je ne suis pas Maggie Selwyn, bonté divine !*

L'œil d'Aggie enregistra Miss Apley qui servait le thé à chacun des convives, Blimp qui apportait d'autres sandwiches dans de petites assiettes bleu et or. Elle pensa que c'était là, probablement, la dernière image de paix qu'elle verrait de sa jeune vie.

— Ne l'ennuie pas avec tout ça, murmura gentiment oncle Henry. Notre pauvre Maggie a connu tant de malheurs. Laissons-la.

— La musique est pourtant source de bonheur, riposta tante Itta. Ne veux-tu pas au moins essayer ? insista-t-elle en se tournant vers Aggie.

Il n'y avait pas la moindre lueur de cruauté ou de méchanceté dans ses yeux. Elle croyait réellement faire plaisir à sa petite-nièce Margaret. Et Aggie devinait bien que la vraie Margaret, dans cette situation, aurait adoré retrouver son piano.

Mais, elle, pauvre Aggie…

Si ses mains étaient habiles à voler un pain à l'étalage, un porte-monnaie dans une poche, ou à dépiauter le ventre des sardines avant de les faire griller aux braseros des docks et de les croquer, bien grillées, avec deux doigts ; ces mêmes mains étaient bien incapables de tirer une quelconque musique de cet interminable alignement noir et blanc qu'était en train de lui montrer tante Itta après avoir soulevé le couvercle du piano !

— Je… Bonté divine, marmotta-t-elle, d'une voix étouffée. Je… Je ne me rappelle pas.

La main de tante Itta effleura les touches, et joua une musique légère comme l'eau.

— *La Tartine de beurre* de Mozart… Une valse que t'avait apprise notre cher John, ton papa, pour la fête de ta maman…

Tante Itta souriait avec bonté. Une bonté qui était pire que tout. Qui traversait Aggie comme une flèche et lui trouait le cœur.

— Joue. Je suis certaine que cela te reviendra sans même te forcer.

Aggie ouvrit la bouche car respirer était devenu la chose la plus difficile du monde.

Elle ne fit pas exprès. Ou bien un petit diable bienveillant lui poussa-t-il le bras ? Au moment où Miss Apley passait près d'elle avec le thé brûlant… la théière fit un bond et le liquide bouillant éclaboussa la main d'Aggie.

Elle poussa un cri. Moins de douleur que de soulagement. Elle aurait bien aimé s'évanouir. Mais enfin, on ne peut pas tout faire.

Miss Apley l'emmena plonger sa main dans l'eau froide, on la badigeonna d'une pommade au souci, on la banda des ongles au poignet. Elle termina l'après-midi dans sa chambre, et elle en fut bien aise, car personne ne lui demanda plus de jouer *La Tartine de beurre* de Mozart, ni aucun autre morceau de musique!

10

Vers le milieu de l'été, Aggie Barrie, devenue Maggie Selwyn par un étrange coup du sort, oubliait de plus en plus de se sentir mal à l'aise. Mais cela pouvait revenir, hop, comme un balancier, hop, au moment où elle s'y attendait le moins.

Comme, par exemple, le jour où son oncle Henry l'invita dans son bureau et lui annonça qu'il allait faire une fête à Bramberry Hall.

— Une fête en ton honneur. Parce que nous sommes heureux de t'avoir retrouvée. J'inviterai tante Itta, bien sûr, que tu connais, maintenant. Mais également nos cousines Mabel, Alma et Julia de Baltimore, et notre lointaine famille de Savannah, et puis tous les amis des Selwyn, qui sont fort nombreux.

Elle avait pâli. Mais il ne s'en aperçut pas. Il poursuivit :

— Il faut que tu connaisses tout ce monde-là. Il faut que tu te sentes chez toi.

Elle quitta la pièce après l'avoir remercié d'une voix chevrotante. À Alice, devant laquelle elle passa et qui lui demanda ce qu'elle avait, elle ne répondit rien.

Elle alla chercher Mister Fats, le petit chien qui n'était plus vraiment petit, l'entoura de ses bras, fourra son visage dans ses oreilles tendres et plates, et gémit :

— Les cousines Mabel, Alma et je ne sais quoi, de Baltimore, la famille de Savannah, la grand-tante… Cette fois, ils vont vraiment voir… Ils vont tous deviner. Oh, Mister Fats, c'est affreux…

Le soir, l'esprit troublé, elle crut distinguer une silhouette dans le parc, celle de Mr Hume, sous le hêtre. Elle ferma les yeux. Les rouvrit.

Il n'y avait personne.

*
* *

Les jours suivants, les domestiques commencèrent à parler de la fête. Miss Apley fit venir des traiteurs pour examiner leurs catalogues, puis une couturière pour confectionner les robes de fête d'Aggie et d'Alice. Il y eut ensuite un décorateur, un fleuriste…

Chaque visite jetait Aggie dans une terrible tourmente.

Elle avait envie de crier : « Je ne suis pas Margaret ! Je suis un imposteur ! »

Car elle avait appris ce mot…

Quand la date fut fixée, au 25 août, l'angoisse la dévora.

Elle avait peur d'affronter les gens qui avaient connu Margaret et qu'elle-même ne connaissait pas. Elle redoutait le moment où l'un d'eux, comme tante Itta, l'autre fois, la mettrait devant le fait accompli d'une chose que Margaret savait et qu'elle, Aggie, ignorait. Elle mourait de peur de n'être pas assez Margaret !

Une nuit, elle rêva qu'elle se trouvait dans un vaste salon tapissé où une ronde d'inconnus lui lançaient des défis :

— Margaret avait une voix d'or ! Chante !

— Margaret dessinait comme un ange ! Dessine donc !

— Des diamants tombaient de la bouche de Margaret quand elle parlait. Parle !

Et comme elle restait, éperdue, raide, muette, au milieu de tous, on lui hurlait soudain :

— Tu n'es pas Margaret ! Tu ne sais rien ! Tu es un imposteur !

Elle se redressa dans son lit, en sueur, étouffée de sanglots.

*
* *

L'essayage de la robe d'Aggie eut lieu quatre jours avant la fête. Miss Apley l'avait choisie en mousseline rose pâle, avec un col en dentelle piqueté d'adorables roses en bouton.

Elle en oublia presque ses préoccupations. Jamais, de sa vie, Aggie n'avait vu de robe plus jolie. Jamais, surtout, elle n'aurait imaginé en porter! Elle était là, à sautiller, à tourner et tourbillonner devant le miroir penché de la chambre.

Miss Apley fronçait les sourcils pour masquer son envie de sourire, Alice battait des mains:

– Elle est magnifique! Et tu pourras renverser de la crème fouettée dessus, ça ne se verra pas dans toute cette mousseline!

Aggie lança une pichenette à sa cousine.

– Vous êtes ravissante, Miss Maggie, dit la gouvernante. Je savais que cette couleur irait à merveille avec vos beaux cheveux…

De la bouche de Miss Apley, un tel compliment valait les pyramides des pharaons. Aggie devint plus rose que la robe. Ravissante, elle? Voilà qui était nouveau. Et proprement incroyable.

– Va te montrer à papa, dit Alice. Qu'il constate que si ses filles lui coûtent les yeux de la tête, c'est pour quelque chose.

– Je vais surtout le remercier! Bonté divine! Quelles amours de petites roses…

Aggie ouvrit la porte avec enthousiasme et descendit à la recherche de son oncle.

Elle s'arrêta net dans le couloir qui menait à son bureau. Elle entendait des voix derrière la porte. Elle vit, par une fenêtre, un cab à cheval qui attendait. Son oncle avait de la visite. Tant pis, elle reviendrait.

Elle allait s'en retourner lorsqu'elle avisa de nouvelles roses sur le rosier en contrebas des fenêtres. Elle allait en cueillir pour Miss Apley, un bouquet pour la remercier d'avoir choisi cette si jolie robe pour la petite Aggie…

Comme il n'y avait personne pour la voir, elle enjamba la fenêtre au lieu de faire le tour par le hall, et se retrouva dans une des plates-bandes qui couraient tout autour de la maison. Elle chassa une abeille et cueillit la première rose, avec précaution, sans se piquer. Par-dessus sa tête, à travers la fenêtre ouverte, la voix de son oncle Henry s'adressait à son visiteur :

– Cet homme a donc avoué ? demandait-il.

– Absolument tout, Mr Selwyn. Il a été arrêté pour d'autres délits, les chefs d'accusa-

tion ne manquaient pas. Mais il a avoué l'enlèvement. Je suis désolé.

Dès les premiers mots entendus, Aggie s'était
figée, l'oreille tendue. Une mouche se posa sur
sa joue mais elle demeura immobile, sa rose à
la main.

Le visiteur de son oncle continua :

— Cet homme nous a donné des détails que
vous, l'oncle de la petite Maggie, et nous, la
police, étions seuls à connaître. Il n'y a pas le
moindre doute.

Après un silence, Henry Selwyn demanda :

— Sait-on comment… cette pauvre petite
est morte ?

— D'une maladie d'enfant, peu de temps
après l'enlèvement. Elle n'avait pas encore
atteint sa dixième année. Les ravisseurs n'ont
pas su la soigner à temps, ou la soigner tout
court. Je suis désolé, répéta le visiteur.

Aggie entendit son oncle se racler la gorge
et se moucher. Il y eut à nouveau, un long
silence. Puis il demanda :

— Quel est le nom… de ce criminel ?

Aggie retint son souffle. Étrangement, malgré le mur qui les séparait, elle ressentit de façon aiguë que son oncle retenait lui aussi le sien. Et lorsque le policier répondit :

– Jason Blackstone.

Elle souffla de soulagement. Pour énormément de raisons, elle n'aurait pas voulu entendre le nom de Pemberton Rushworth. Il n'était pas un voleur d'enfant.

– Il y aura un procès, dit le policier.

Il continua à parler mais Aggie n'entendit plus rien, elle baissa les yeux et vit la rose tout écrasée dans sa main qui saignait. Elle n'avait pas mal.

Elle courut dans sa chambre, en passant cette fois par le hall et arracha sa robe.

11

— Peux-tu sortir de cette chambre et descendre ? lui cria Alice, une demi-heure plus tard, en frappant à la porte.

— Je suis malade, grommela Aggie.

Elle ne goûta pas. Vers six heures, elle entendit les domestiques d'affairer, et son oncle entrer dans son bureau.

— Papa appelle le médecin, vint lui annoncer Alice, toujours de l'autre côté de la porte.

Aggie quitta son lit pour caresser Mister Fats qui dormait en rond sur une chaise. Une de ses bajoues tremblotait comme la gelée.

— Adieu, lui murmura-t-elle.

Elle s'habilla en hâte, d'une jupe et d'un chandail. Dans un sac, elle commença à empiler ses affaires. Puis elle s'arrêta net. Ce n'était pas ses affaires. De quel droit les emportait-elle ?

Elle garda celles qu'elle portait, mit une veste et quitta Bramberry Hall sans bagage. Elle se faufila le long des murs jusque dehors, descendit vers la grille qu'elle escalada. Le sol de la route lui parut curieusement plus dur. Elle appuya ses poings sur ses yeux, très fort, pour empêcher les larmes de s'échapper, et gronda :

— En avant.

*
* *

Elle marcha environ deux heures sans croiser la moindre voiture à cheval, ni la moindre calèche. Lorsqu'elle atteignit les faubourgs de Boston, le vent se leva, l'orage se mit à gronder. Elle accéléra le pas, elle avait froid. La pluie commença à tomber quand elle arriva au parc, un vrai déluge de gouttes larges et lourdes, pressées les unes contre les autres, qui formaient des flaques avant même d'avoir touché le sol.

Mais Aggie était en territoire connu. Elle

courut vers le fleuve, bifurqua sur un bras
bordé de bicoques. Elle frappa à l'une d'elles.

– Orin! appela-t-elle. C'est moi, Aggie.
Ouvre.

Il y eut un remue-ménage. La porte en
planches s'entrouvrit sur Mrs O'Erlihy, la mère
d'Orin. C'était une femme pas très vieille mais
fatiguée, avec un enfant éternellement calé sur
la hanche.

– C'est toi, Aggie? dit-elle. J'te reconnais-
sais pas. Qu'est-ce t'as fait à tes cheveux? Orin
est pas là. Dieu sait où c'est qu'il vadrouille!...

Aggie remercia et fit demi-tour sous la
pluie. Elle remonta vers l'ouest, se retrouva
bientôt devant la pension des Hume. Que
cherchait-elle par là, bon sang? Elle changea
une nouvelle fois de direction et, sous les
trombes d'eau qui redoublaient, bondit vers
St. Regis. Presque sans y penser, en tout cas
sans le vouloir vraiment, elle fut au bas de la
colline. Là où était enterré Mister Bones. Elle
reconnut les trois pierres posées en rond. Elle
s'assit sous l'arbre qui abritait un peu.

— Me v'là, Mister Bones. J'ai pensé à toi, tu le sais. Beaucoup. Souvent. Il est mignon, l'autre petit chien, Mister Fats. Mais tu restes mon Mister Bones. Je l'ai laissé là-bas, avec Margaret, et les frusques de Margaret.

Elle sursauta et se tut. Une feuille avait remué derrière elle. Elle se rencogna sous son arbre. L'orage virait à la tempête. À nouveau, une branche craqua. Elle retint un cri en distinguant une petite silhouette noire.

— Moyzisch! s'écria-t-elle, soulagée. Quelle trouille, sale bête…

Il était trempé par l'orage. Il la fixait de son œil unique. Il l'avait parfaitement reconnue. Il lui parut plus fatigué, plus maigre, que la dernière fois où ils s'étaient vus.

— T'as pas mangé à Bramberry Hall, toi, ça se voit.

Il avait une patte abîmée. Elle se pencha pour le soulever, il se laissa faire. Ce qui la surprit. Jamais encore ce sauvage de Moyzisch ne s'était laissé attraper. Elle le tint serré contre son chandail, à l'abri des gouttes.

L'orage perdait de sa violence. Aggie Barrie reprit sa route. Elle connaissait une usine abandonnée où elle s'était réfugiée, parfois, en compagnie d'Orin.

Elle tenait toujours le grand chat immobile contre elle.

Elle suivit une avenue, puis une autre… Elle était fatiguée, le chat était lourd. Pour comble de malchance, la pluie repartit de plus belle. Ses vêtements dégoulinaient de partout.

Elle entendit les roues d'un fiacre qui arrivait loin derrière elle. Elle se rangea sur le côté pour éviter les éclaboussures. Ce qui la fit doucement rire car, au fond, trempée comme elle l'était…

*
* *

L'aube pointait. Il pleuvait toujours et Aggie marchait encore. Elle s'était perdue, elle ne retrouvait pas l'usine désaffectée. Et Moyzisch pesait de plus en plus, malgré sa maigreur.

— Et malgré ton œil en moins, coco, t'es drôlement lourd!

Elle se rangea pour la énième fois le long du trottoir en entendant arriver un fiacre. Elle s'appuya à un arbre. La voiture la dépassa. Puis elle entendit des voix s'exclamer :

— Maggie !

Le fiacre stoppa. Oncle Henry en jaillit d'un bond. Il l'enveloppa dans sa cape et les souleva, elle et le grand chat borgne, avant de remonter à l'intérieur, pour les déposer sur la banquette en velours.

— Papa, fit la voix inquiète d'Alice. Est-elle blessée ? Maggie… Es-tu blessée ? Voilà des heures qu'on te cherche ! Sous cette pluie !

Aggie entrouvrit une paupière.

— Alice, tu es donc là toi aussi… Ne m'appelle pas Maggie, s'il te plaît. Mon nom est Aggie. Et je ne suis pas ta cousine.

— Papa, je crois qu'elle a la fièvre. Elle délire.

— De la fièvre, oui, peut-être. Mais elle ne délire pas.

Aggie sentit la grande main tiède et tendre d'oncle Henry qui se posait sur sa joue, pour la réchauffer.

— *Pataclop Pataclop,* se murmura-t-elle au rythme des sabots du cheval qui tirait le fiacre.

— Tu es certain qu'elle ne délire pas? Papa?

— Aggie? l'appela distinctement le père d'Alice.

Oncle Henry… Non, c'est faux, tu n'es pas mon oncle Henry puisque je ne suis pas ta nièce Margaret. Ce n'est pas la peine de faire une fête pour moi, Je suis une menteuse. On ne fête pas les menteurs. *Pataclop Pataclop…*

— Aggie, écoute-moi. Écoute ton oncle Henry. Je sais que tu n'es pas Margaret. Depuis le début, je le savais, je l'avais pressenti…. Tu m'entends, Aggie? Ces choses-là ne s'expliquent pas toujours, mais…

Pataclop Pataclop…

— … mais quand tu es arrivée dans le sillage de ce Pemberton Rushworth, j'ai su que tu serais l'amie, la sœur qu'il fallait à ma petite Alice. Tu m'entends Aggie? Je t'ai voulue dans notre famille dès que je t'ai vue!

— Je confirme, fit Alice en soufflant dans l'oreille d'Aggie. Tu ES ma sœur, mon amie.

En plus de ma vraie fausse cousine. Tu nous entends ?

Pataclop Pataclop, songeait Aggie, les yeux fermés.

— Et puis, je veux une fête ! continua Alice. Je veux une fête parce que j'aime les robes et les pâtisseries au chocolat et que Miss Apley a tout commandé !

— C'est vrai ? Vous saviez, oncle Henry ? Je peux continuer à vous appeler oncle Henry ? Malgré tout ?

— Tu peux, et même je te l'ordonne !

— C'est quoi ce paillasson mouillé ? demanda encore Alice.

Aggie sourit, les yeux toujours clos.

— C'est Moyzisch. Il a besoin de se remplumer un peu. Ensuite, il repartira. Il ne supporte pas d'être enfermé.

— Mais pas toi, hein ? Tu ne vas pas te remplumer et repartir ? fit Alice d'une petite voix anxieuse.

— Non, répondit Aggie, tout bas. Moi, je reste.

Et quand elle serra son oncle et sa cousine dans ses bras, l'œil de Moyzisch, le cyclope, entre les deux, la fixa en gros plan.

Du même auteur à *l'école des loisirs*

Collection NEUF
Les joues roses
Minuit-Cinq

Collection MÉDIUM
Boum
Fais-moi peur
Faux numéro
Rome l'enfer
Sombres citrouilles
Taille 42 (coécrit avec Charles Pollak)
Quatre sœurs - tome 1 : Enid
Quatre sœurs - tome 2 : Hortense
Quatre sœurs - tome 3 : Bettina
Quatre sœurs - tome 4 : Geneviève